소중하게 빛나는 우리들의 이야기

-2023 소사벌초등학교 2학년-

소중하게 빛나는 우리들의 이야기

발 행 | 2023년 12월 13일
저 자 | 2023 소사벌 초등학교 2학년
펴낸이 | 한건희
펴낸곳 | 주식회사 부크크
출판사등록 | 2014.07.15.(제2014-16호)
주 소 | 서울특별시 금천구 가산디지털1로 119 SK트윈타워 A동 305호
전 화 | 1670-8316
이메일 | info@bookk.co.kr

ISBN | 979-11-410-5609-4

www.bookk.co.kr

소중하게 빛나는 우리들의 이야기

- 2023 소사벌초 2학년 -

CONTENT

시집을 펴내며

2023년 한 해 동안 소사벌 초등학교 2학년 학생들과 함께한 시간은 우리 모두에게 행복한 시간이었습니다.

수업 시간에도, 쉬는 시간에도 점심시간에도 항상 즐거움이 가득했던 우리의 1년을 기록하며 이 시집을 펴냅니다.

이 시집에는 우리 2학년 친구들이 보고, 듣고, 느낀 솔직한 표현들과 마음이 가득 담겨 있습니다. 내 주변 사람들에 대한 사랑, 내가 생각하는 나의 모습, 아름다운 주변 환경에 대한 감상 등 말로 다 표현하지 못한 아름다운 이야기들로 가득 차 있습니다.

즐거운 일이 있을 때나 슬픈 일이 있을 때 마음속 이야기를 털어 놓을 수 있는 다양한 방법들을 찾아 나가는 우리 2학년 친구들이 되었으면 좋겠습니다. 시 쓰기도 그 중 하나가 될 수 있겠죠.

1년 동안 많은 관심과 격려를 보내주신 부모님들께도 깊이 감사한 마음을 전합니다.

소사벌초 2학년 교사 일동

2학년 1반 시화작품

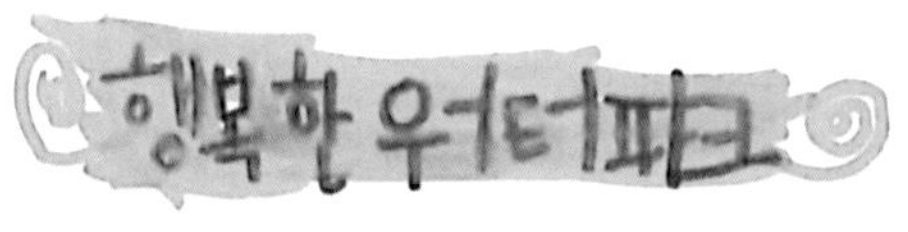

오늘은 즐거운 워터파크
가는날

공서율

오늘은워터파크를 가는날이였다.
어떻게 생겼을까 호텔에도착
을하고 곳곳에 이것저것이 있었다.
뷔페, 오락실, 워터파크 카페
빵집 편의점 노래방 이있었다

이제 사원한 워터파크를들어 갔다
참신났다 미끄럼틀도왔고 블랙홀 미끄럼
틀도왔었다 참 재밌었다 이제호텔을들어
갔다 참좋았다 마지막은 고기를 먹었
다 참 맛있었다

나

엄마

우리동네

김가연

우리동네는 참좋다.
왜냐하면.
좋은냄새나는 꽃집은 꽃이많고...
달콤한 냄새나는빵집.
우리를 지켜주는 경찰서.
불을끄는 소방서.
그리고사람이북적북적한 마트.
나는 내동내가좋다!

하늘과 바람 별과 시

김민우

바람이 어디서부나

어디에 별이 보이나

푸른 바디에 별이 보인다

위를 보면 파랑 하늘이 보인다.

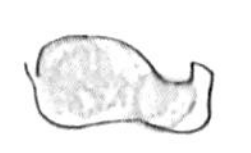
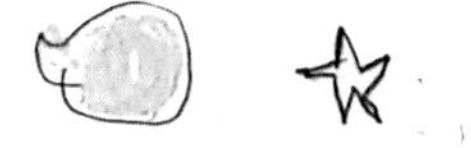

눈이오다가 감기

김서연

와 눈 온다!!!!

밖에서 놀아야지

엄마동생이랑

나가서 같이 놀아야지 너무 예쁘다

빨리 나가서 놀아야지 ㅎㅎ

에추으에에

엄마가 말씀 해셨다.

너 이제 못 놀아

ㅠㅠ

길 고양이

김시아

길 고양이 가
"냐옹" 울어댔다.
배가 고파우는 건가?
아닌가?
도대체 왜우는거지?
궁금하다.
도대체 왜 우는데!

가을 김시원

가을은 춥다. 너무
춥다 가을엔 바람
이 많이 분다.

가을은 바람이 많
이 불어서 춥다.
바람이 춥다.

비가 똑똑

민서아

비가 똑똑

아침에도

똑똑

점심에도

똑똑

저녁에도

똑똑

비가 뚝뚝

비가 주룩주룩

비는 왜? 올까?.....

비가 오면 기분이 안좋다...

비는 도되채 왜 오는 걸까

나무야 고마워

박예찬

아낌없이 주는 나무야 고마워.
열매를 주고
그네도 태워주고

아낌없이 주는 나무야 고마워.
목재도 주고
의자도 주고

아낌없이 주는 나무야 고마워.

별

박종혁

창문에 형광빛이 빛치는
별이 한 번 창문을 열어
봤는데 너무
눈이 빛인다.
별이 와서.
똑, 똑, 똑 별이
창문 두드러는데..
너무 눈이 빛여서
창문 열줄수 없는데,
어떠하지?

가을 바람

글그림. 준규

숨을 들이마시면 가을 바람이 솔솔
불어옵니다. 가을바람 살랑 살랑 살랑살랑
시원하게 불어옵니다.

무지개

왕예서

알록달록 무지개
빨,주,노,초,파,남,보 여러 무지개
비오면 나오는 예쁜 무지개
알록달록 무지개

더 많이 보고 싶어
언제든지 보고싶어

비

유현정

비가 올때마다
밖에서
비소리가 후두둑 후두둑
학교갈때도 후두둑
비소리 들을 때마다
기분이 더욱더 좋아 진다

장미, 튤립, 개나리
꽃들은 종류가 많아
그중에서도 꽃들이
모여 있는 곳
꽃집

포장마차 떡볶이

이소윤

철성이는 오래전부터 떡볶이를 먹고싶다고

노래을 불러습니다. 철성이에 엄마는

돈을 주지 않아 서요.

철성이는 아빠에게 가보고

할머니에게도 가봤지만 돈을 주지 않아 었요.
그래서 할아버지에게 갔는데
할아버지가 철성이에게 돈을 주서 포장마차떡볶이을
사먹었습니다.

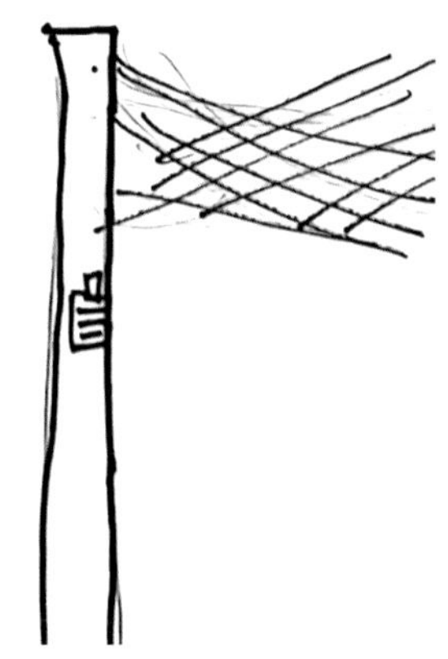

내 귀여운 보물

이슬비

나는 아침에 일어나서
귀여운 보물을 만진다.
말랑말랑 귀여운 손, 똘망똘망 눈
나의 귀여운 보물은 내동생 다솜이.
다솜이는 아침에 일어나면
나에게 "언니~! 노라조, 노라조, 노라조, 노라조!"
라고 말하면 나는 잘 안 일어나는데,
다솜이는 일어날 때, 놀자고 하면,
게임은 못 참지~! 하면서 놀이방으로
후다닥 가면 몇분만 하면 "나 이제 그만
할래~!" 하면서 총총 가기 전에 내가 "게임
말고 공부 하자!" 그러면 다솜이가 "시러, 시러, 시러
, 시러~!" "으악! 이제그만!!" 주말엔 이 말
을 전부 다 들어야 되서 귀가 아프다...

나
...
시러!
파닥 파닥
다솜
게임
게임은 못참지!
파앗

이율

맛있는 초밥이 맛있는 초밥맛집
음 따 봉!

따봉 따봉 따봉!

게란초밥이 맛있다.

따봉
초밥을 마구마구마구마구
음 또 먹고 싶다.
따봉

세우초밥
게란초밥
김밥

이준

깜깜한 밤에 자고 있는데
위이잉, 위이잉.
이 소리 때문에 깼다.
위이잉.
모기 소리 인가?
위이잉.
파리 소리인가?
아무리 손뼉을 쳐도
아무리 파리채를 휙휙 휘둘러도
잡히는 게 없다.
그런데 문틈 사이로
빛이 들어온다.
설마 하고 나갔는데
엄마가 청소기를 돌리고 있다.
엄마! 잠 좀 자자!!

QUIZ 이 소리는 뭘까요?

~위이잉~ 1번 모기 2번 파리 3번 청소기

3번!

가을벼

임주원

바람이 세게
불면 살랑 살랑
움직입니다.

우리한테 인사
하는 것 처럼

라면먹은날

조승우

지글지글 뽀글뽀글
우아 라면이다.

후루룹 쩝쩝 쩝쩝
아 맛있다.

벌써 다 먹었네
다음에 또 먹어야지.

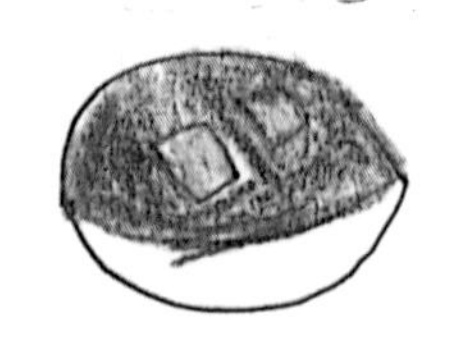

차서은

아침에 째깍 째깍
시계가 놀아 달라고 한
다 밥 먹을 때도
째. 깍. 째. 깍.
빨리라고 한다.

째깍 째깍 째깍.

째.깍 째.깍.

아이 시끄러워
제발 그만!
밤에도 째깍.
깍. 째. 깍
잠잘 때 째깍 째깍.

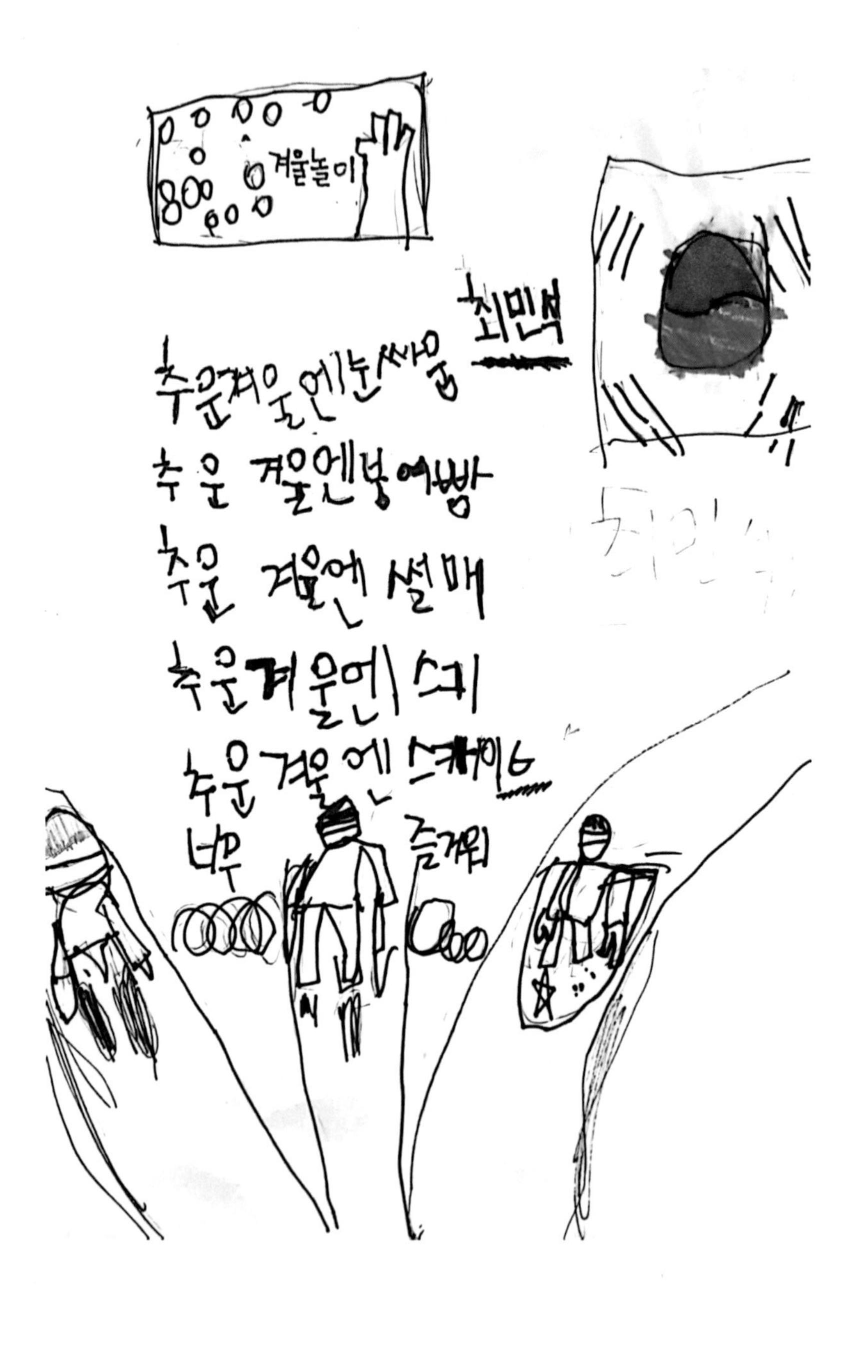
겨울놀이
최민석
추운겨울엔눈싸움
추운 겨울엔붕어빵
추운 겨울엔 설매
추운겨울엔 스키
추운 겨울엔 스케이트
너무 즐거워

감기 걸린날

글·그림: 최수연

빠다에 놀다가
감기에 걸렸

잠 잘때 불편하다
밥 다 먹고 약 먹고
감기 싫어!

제주도

최유찬

비행기가 출발하자 높이 날았다.
'윙윙, 윙윙'
해, 뭉게뭉게 구름
그리고, 귀여운 새 친구들

초록초록 예쁜 바다
제주도는 작은섬
보물같은 섬

떡볶이

최진우

떡볶이는 맛있지만
매워서 먹을수가없다.
떡볶이가 맵지 않으면 좋겠다.
그러면 맨날 먹을수 있을텐데

난새다

조한울

나는새 참새 짹짹.

나는새 까마귀 까악까악

나는새 닭 꼭끼요.

나는새 비둘기 훨훨

제목: 비

김소율

학교올때도 비가두두둑 집에올때도 비가두두둑 학원갈때도 비가두두둑 학교에서 책보는데 비가두두둑 방과후 갈때도 비가두두둑 쉬는시간에 친구들이 바둑돌 하는 거볼때도 비가두두둑

2 학년 2 반 시화 작품

낙엽

소사벌초등학교
2학년 2반
강하은

가을소풍 나갈때 한번식본
낙엽
단풍잎은행 잎알록달록
낙엽
밟으면 바스락 바스락 소리가나는
낙엽
바람이불면 훨훨날아가는
낙엽

가을
국하준
단풍잎
주렁주렁 감나무
스르륵 떨어지는 낙엽
가을아

캐치볼

소사벌 초등학교
2학년 2반
김가온

공아공아 멀리멀리 날아가라
내짝꿍이 못잡게
공아공아 멀리멀리 날아 가라
나도 못잡게

내가 쎄게 던져 휙~짝꿍이 탁!
짝꿍이 쎄게 던져 휙~내가 탁!
내가 힘이쎄서 멀리 날아가나?
아님 네가 멀리 날아가고 싶은걸가

팽이 돌리기

- 소사벌초등학교 -
- 2-2반 4번
- 김나현

우리들의 웃음소리

빙글 빙글 춤을 춘다

알록 달록

빙글 빙글

재미있는 개성들이

빙글 빙글

한마음 한뜻으로

신나는 팽이 돌리기.

고모네 강아지 상큼이

소사벌 초등학교
2학년 2반
김도영

멍멍멍

상큼이가 나에게 달려온다

아이고 귀여워

멍멍멍

상큼이가 아빠에게 달려온다

아이고 예뻐

쿵쿵쿵

내가 상큼이에게 달려간다

콩콩콩 상큼이가 꼬리를 흔들며 내게온다

생일날

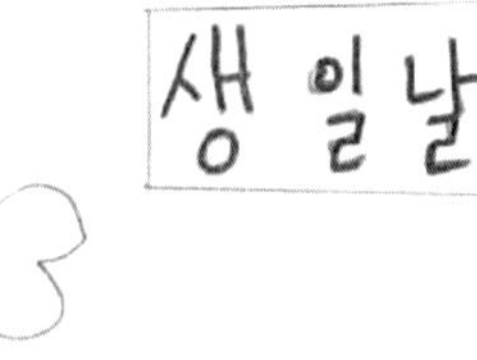

소사벌 초등학교
2학년2반
김연우

생일은 생일은
뭘까?
즐겁고 신나는
내 생일
나는 나는
생일이 좋아!
내가 태어난
아름답고 신나는
나의 생일

피아노 급수 시험

소사벌 초등 학교
2학년 2반
김예빈

두근 두근
피아노 급수 시험
긴 장되네
피아노 급수 시험
심사위원들
앞에서
틀리면 어떡하지?
대망의 시간!
합 격해서
뿌듯해!
자격증도 땄네!

이상한 농구공

소사벌초등학교 2학년 2반 9번 김이후

이상한 농구공

항상 이상한

농구공

방향을

바꾸려해도

안 바뀌는

농구공

숲체험

소사벌초등학교
2학년2반
박서윤

친구들과 함께한 숲체험
내가 좋아하는 비눗방울도 톡톡

파란하늘도 나를 반기네
초록숲도 나를 반기네

푸른호수도 나를 반기네
내가 좋아하는 숲체험
오늘도 즐거운 숲체험

팽이

2학년 2반
박재윤

빙글뱅글 팽이

손으로 꼭지를 잡고
돌리면 또다시
빙글뱅글 눕지마
눕지마 팽이야
조마조마 내
마음도 빙글뱅글

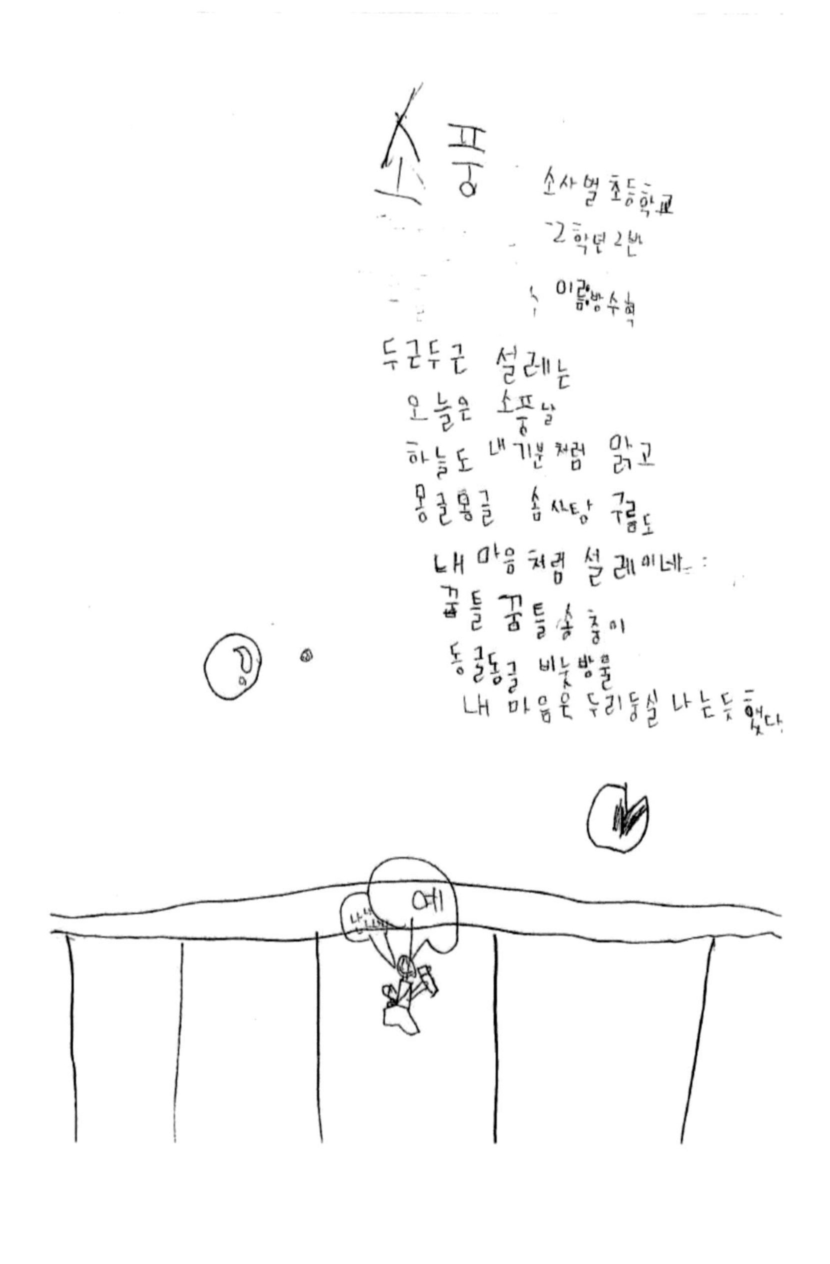
소풍
소사별초등학교
2학년 2반
이름 방수혁
두근두근 설레는
오늘은 소풍날
하늘도 내 기분처럼 맑고
몽글몽글 솜사탕 구름도
내 마음처럼 설레이네
꿈틀꿈틀 송충이
동글동글 비눗방울
내 마음은 두리둥실 나는듯 했다
예

바둑

소사벌 초등학교
2학년 2반
박진우

사각형 바둑판
흑돌이 모여서
집을 지어요.

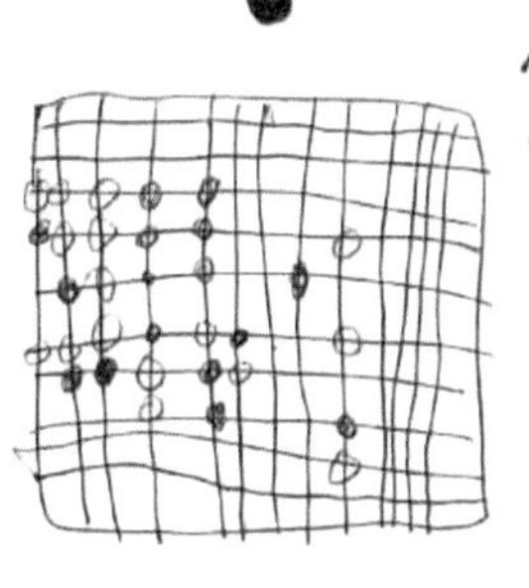

사각형 바둑판
백돌이 모여서
집을 지어요.

누가 집을 많이
지었을까?

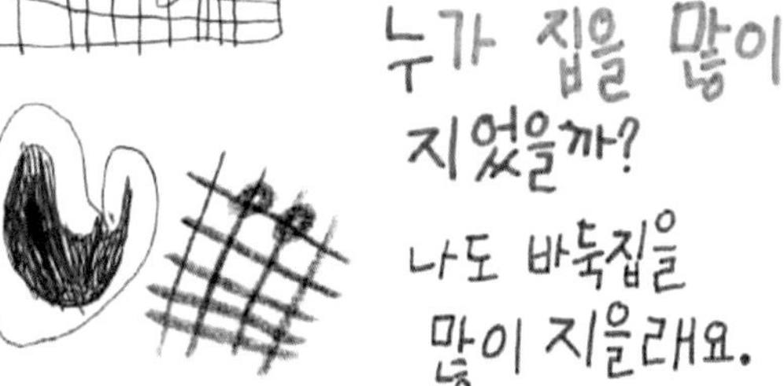

나도 바둑집을
많이 지을래요.

땅강아지

소사벌초등학교
2학년2반
서하람♡

아빠가 주워온
땅강아지
처음 본
땅강아지
귀여운
땅강아지
땅속에 사는
땅강아지

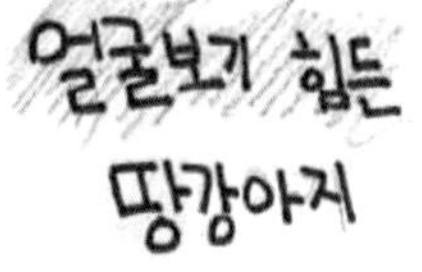

얼굴보기 힘든
땅강아지

♥ (내 동생 티니) ♥

소새별초등학교 2학년 2반 송하진

야옹야옹 귀여운
내 동생 얼굴
야옹야옹 작은 얼굴
너무 귀여워.

동글동글한 두 발로
공을 요리조리 몰고
가는 내 동생.
낮에는 잠만 자는
잠꾸러기.

야옹야옹 매일 아침
제일먼저 반갑게
인사해주는
내 동생이
제일 좋아.

제목: 힘들다

소사벌초등학교 2-2 안예진

나는 힘들다 매일 공부 하니까
나는 힘들다 매일 학원 가니까

나는 매일 행복하다 친구가 있으니까
나는 매일 행복하다 가족이 있으니까

소풍

소사벌 초등학교
2학년 2반 17번
유시아

아침부터 눈이 번쩍
엄마 잔소리 없이
일어난 하루.
어젯밤 싸놓은
무거운 가방이 기분좋아.
등굣길 만난 연우와
동시에하는 질문 찌찌뽕
"야, 너뭐 싸왔어?"
점심시간 서로 자랑하는
제란 말이 김밥.
달팽이 김밥.
우와 포켓몬 김밥이다!
돌아오는 길 가벼운 가방속
가장 예쁜 은행잎은
우리엄마 선물.
두번째 예쁜 단풍잎은
내일기속 추억

제목: 강아지

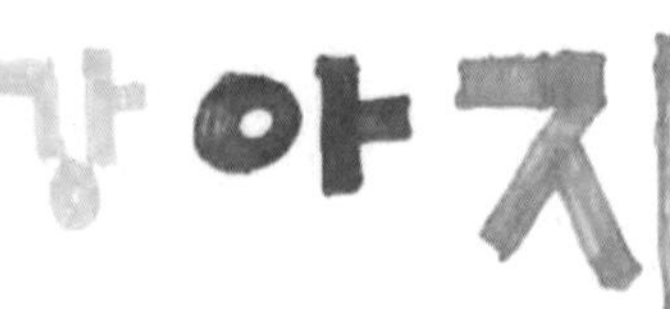

소사벌초등학교
2학년 2반
이시현

귀염둥이 강아지
산책을 좋아해
밖에 가면
요리조리 뛰놀며
기분이 좋다고
멍멍멍
먹보 강아지
먹는걸 좋아해
음식만 보면
꼬리를 살랑살랑
어서 달라고
멍멍멍

친구야

2학년 2반
이주원

친구야 친구야 같이 놀자
내가 술래할게
너는 얼른 도망가렴
친구야 친구야 같이 놀자
누가 먼저 높이뛰자
그네타고 시합하자
친구야 친구야 같이놀자
이제 집에 갈시간이야
내일 다시 만나

제목: 놀이 한마당

소사벌초등학교
2학년 2반
이준혁

맑은 구름 아래에서 신나는 우리들

우리팀 이겨라! 우리팀 이겨라!

응원 소리에 힘이 나서 달리는 친구들

한마음으로 응원하니 승리하는 우리들

우리팀이 승리해 행복한 우리들

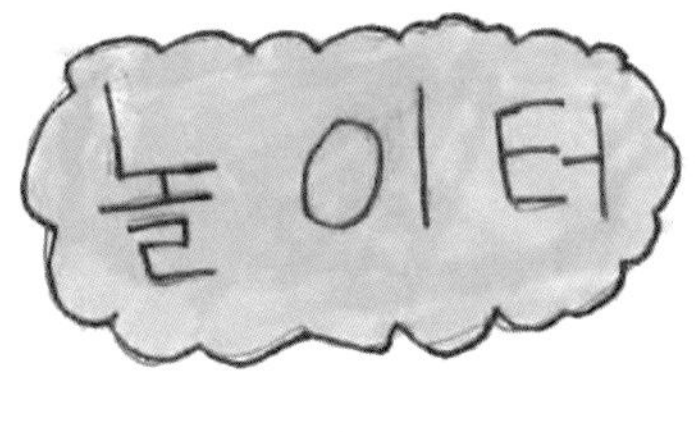

소사벌 초등학교
2학년 2반
장진

!놀이터에 가는 날 바로 오늘!

'나' 혼자 가면 심심한 놀이터
온 동네 언니들에게 물어봐도 못노는 언니들
그중 한 언니 학원에서 맨날 놀던 '그' 언니
된다니 곧장 놀이터로 뛰어가는 '나'
내 뒷모습을 본 언니는 빠져진 언니
그네만 차지하는 우리는 그네가 비어있어
재밌게 노는 우리
놀다보면 한 시간이 훌쩍 지나
밥을 먹으러 간다.

아이스크림

2-2
조윤서

선생님이 노랑색을
명중!
모두좋아 깡충깡충
입안에서 달콤한게
팡팡
시원시원 환상의
맛! 선생님 최고!

제목: 두발자전거

지은이: 정예솔
소사벌초등학교 2-2

두발자전거
재미있는 자전거
자전거를 탈때 짜릿
너무 어려운 자전거
시원한 바람

따릉따릉 자전거
두발자전거
새들은 짹짹
강아지는 멍멍
바람은 솔솔
자전거는 씽씽
재미있는 자전거

팽이 시합

소사벌 초등학교
2-2반 26번
조윤우

지은이 조윤우

빙글빙글
뱅글 뱅글
잘 도 도는
팽이 따라

나도 따라
빨리 돌면
어지럽지
팽이 시합

빙글빙글
뱅글 뱅글
누가누가
오래 가나

빨강팽이
파랑팽이
돌고 도는
우리 사이

팝콘

소사벌초등학교
2학년 2반 한별

톡톡톡
맜있는 소리
탁탁탁
달콤한 소리
행복한 소리

내 동생

소새별초등학교
2학년 2반
글: 한혜윤

하얀 솜사탕 같은
털뭉치
학교 갔다 집에 오면

제일 먼저 반겨주는
귀여운 내동생
하루 종일 언니 바라기

사랑스러운 내 동생
가끔 나의 옷과 가방을 물어
뜯기도 하는 얄미운 내동생

그래도 내 동생은 나의 최애!

가을소풍

소사벌 초등학교
2학년 2반 황윤

단풍이 울긋불긋 물든 어느날
히히하하 놀며
얼음 땡을 하는 나와 친구들

달콤한 간식 먹으며
당이 쭉쭉 올라가는 나와 친구들

빨리 뛰어 놀고 싶은데
독서록 때문에 마음이 안절부절한
나와 친구들

2학년 3반 시화작품

킥보드

강주원

내가 간 할머니댁

맛난 밥을 먹고

친구와 함께 탄

킥보드

내친구가 킥보드를

바꾸어서 부럽다.

나

친구

에버랜드

김도연

이번주 화요일에
에버랜드에 간나
재미있는 놀이기구를
타러 간나
엄마와 오빠와
쌀국수를 먹은
우리가족
재미있게 놀고
집에간 우리가족

내가 간 바다

김미르

바다에 갔나.
동생은 힝힝
놀자고 떠쓴다.

그래서 놀아줬나.
동생은 언제나
나를 부르고
처얼썩 처얼썩
파도가 시원하네
나도 시원하게
우리 동생
놀아줘야지

까르르 깔깔 신나는 놀이터

김지유

지난 토요일
까르르 깔깔
놀이터 에서
논 나!

친구들과
신 나 게
논 나!

친구들과 신나게
놀았더니
까르르 깔깔
웃음폭탄이
터져버린나!
다음엔 더
신나게
놀고싶으니

<친구와놀때>

문하랑

내가 간 친구집

내가 친구 와놀때

기분이 좋아

친구와 싸우면

기분이 안좋아

친구와 함께라면

아주행복해

친구

민서준

아주어린
친구집에 가서
너무 너무 좋다.
신난 친구와 찰칵찰칵
놀이 가자고하새는
우리엄마
아쉽지만 다음에만
나

시끌시끌 생태공원

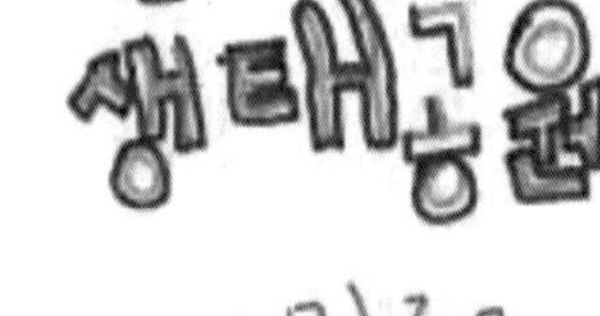

· 민준우

지난토요일엄마
아빠와 간 씨끌
시끌생태공원
공원에서이리
저리돌아다니는
동물들그중에서
가장기억에남
는다람쥐씽씽
쌩쌩달리는귀
여운다람쥐정
말정말 행복했던
주말!

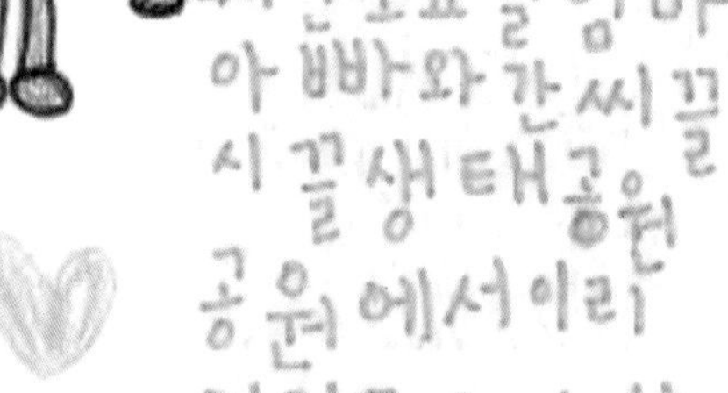

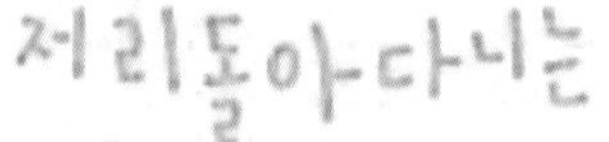
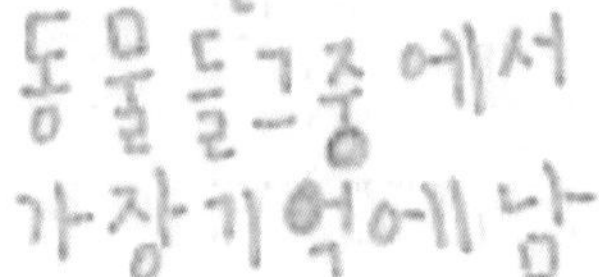

가족여행

박도경

일요일에 여수갔다
그리고 딸기모찌를먹었다.
정말 맛있었다.
숙소에서 수영하면서
놀았다.

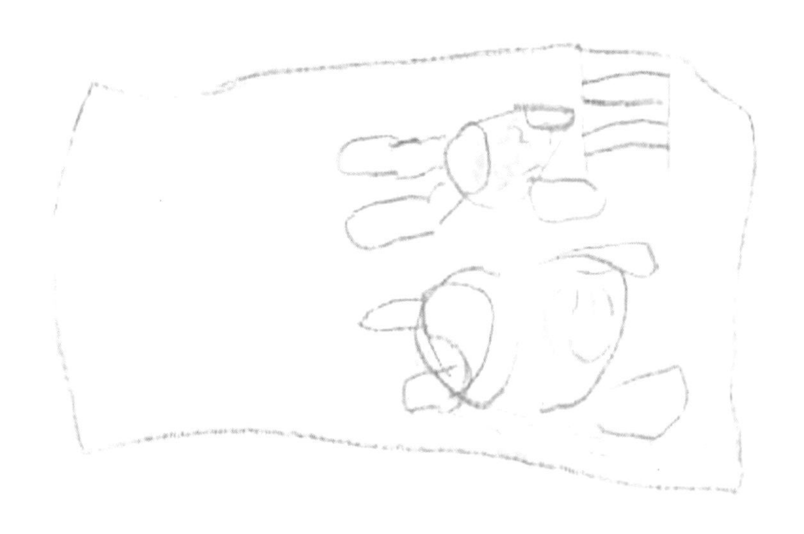

맛있는 삼겹살

삼겹살 삼겹살은 맛있어
오겹살도 아닌 삼겹살
육겹살도 아닌 삼겹살
간풍처럼 옷을 갈아입은
삼겹살은 내 입으로 쏘옥
한입 두입 세입 먹다보면
배불러서 배를 둥둥둥둥
배다온
음~맛있어

우탕탕탕 술래잡기

서우진

우탕탕탕 술래잡기를 한 나
재빠르게 친구를 잡는 나
재빠르게 도망친 친구를
놓친 나 술래가 무어지?
우탕탕탕 술래가 되어도

재미있는 술래잡기!
왁자지껄 쉬는시간
왁자지껄 술래잡기

알콩달콩우리가족

신예찬

알콩달콩우리가족

맛있는음식을하는 우리엄마
알콩달콩우리가족
시끌시끌 재밌게 놀아주는우리아빠
알콩달콩우리가족
열심열심공부를 하는우리누나
알콩달콩우리가족
알록달록 예쁜것을 만드는 나
알콩달콩우리가족
알콩달콩한 응원을 하는우리동생!
알콩달콩한가족이죠

롯데 마트에 간나

안수정

저번주 토요일에

롯데 마트에간 나

맛있는 카스테라

재료를 사러간나

카스 테라 빨리

만들고 싶은

마음이든

언니와 나

냠냠 맛 있게 먹은 우리가족

진도대교 오승윤

진도에 가면

진도대교가 있어요.

대교에는 자동차도 다니고

오토바이도 쌩쌩 달리고

커다란 버스도 붕붕 다녀요.

작고 예쁜 자전거는

대교 아래 공원길로 다

우당 탕 뻬버 드

가족 과 온에 랜드
우당 탕 소리 듣는 데윤서현
"아!무 워"아찐 무서워"
흔들 들 놀이 구
너무 제미 는걸
다시 번 흔들 들
사람 이 "아!아! !"
내가 도 두근 근
내가 아하는 아이 크림
꼭꼭 없네 줄이
긴데 다음
올까 까 ?

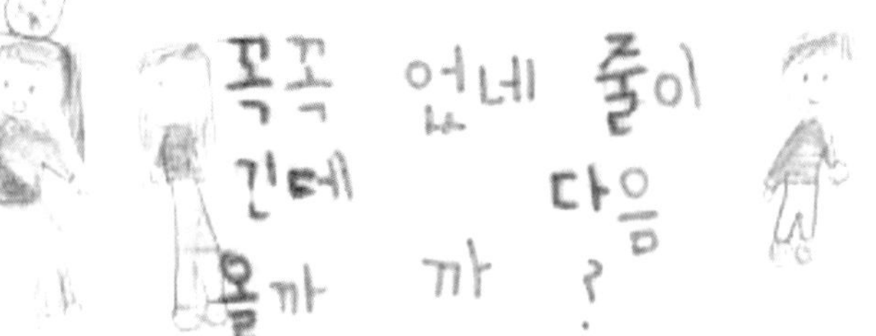

할로윈 축제

이관우

시끌 벅적 하하호호
할로윈 축제 장

동생과 깔깔깔깔
사탕찾이 총총총총

너도 나도 왁자지껄
너도 나도 사탕 달라

재미있는 할로윈

시끌 적 챔피언

[illegible]

시끌버적 챔피언

재미와 웃음이 가득 한

시끌버적 챔피언

재미있는 챔피언

넘어져도 신나는

챔피언

설레는 마음이 콩닥콩닥

순식간에 지나가는 시간

우리 가족 소풍

이하윤

신나고 즐거운 우리 가족 소풍
우리 가족 싱글벙글 룰루랄라
새로운 나라에 온것 같은 놀이터

미지의 세계를 슝슝 달리는 미끄럼틀
하늘을 날고 싶어지는 그네
하늘에 별들과 같은 사르르 모레알

아이들이 싱글벙글 룰루랄라
슝슝 미끄럼틀도 타고
씽씽 그네도 타고

사르르 사르르 만져볼까 모레알
놀다 보니 빨리 달리는 시간
즐겁고 재미있는 우리 가족 소풍

스케트♥

이연솔

친구와 스케이트를
탄나

슝슝 스르륵 스르륵
스케이트 탄다

친구도 나를 따라
슝슝 스르륵 스르륵

친구를 보며 깔깔 깔
웃는나

우리 아빠 요리금손 멋쟁이
우리 엄마 반짝반짝 명품 여자

우리 언니 공부 잘함 100점만 나와
싱글벙글 하하호호 웃음많은 나

내 고향 통영

최라엘

목요일에 간 통영.

버스가 내 고향이 궁금하구나.
힘들게 기다려 드디어 도착했다.
빨리 가고 싶었어 후다닥 가다.
이모보다 커진 언니들.
내 고향 통영이 좋다.

신나는 우리가족

최민재

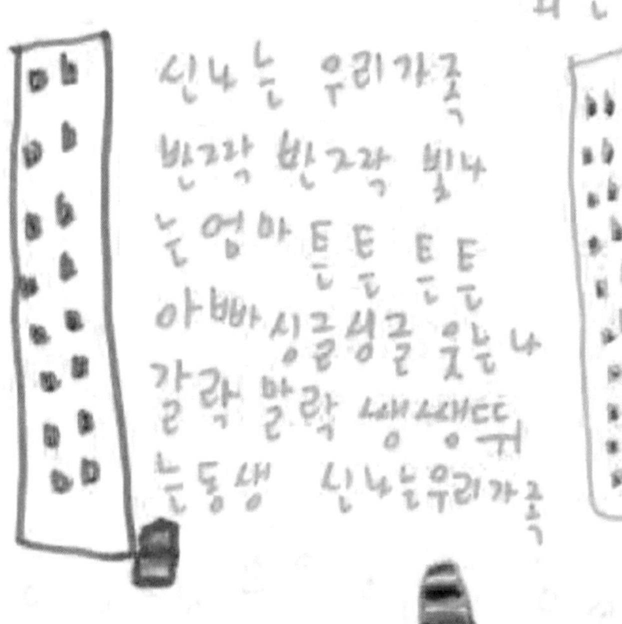

알콩달콩 우리가족

그렇게 우린 6명♡

가족여행
최정연
토요일게 어른들과 가족 여행을 갔다.
관람차도 타고
숙소에서 자고 갔다.
정말 재미있었다.

겨울 최현도
겨울이 오면
펑펑 눈이 내려요
겨울이 오면
눈사람도 만들고 싶어요
겨울이 오면
눈사람과 친구들과
신나게 놀고 싶어요

반짝반짝 달빛

황지혁

밤하늘에
달이 있습니다.
달 옆에는
별이 있습니다.
달 옆에
별이 있어서
더 환한 것
같습니다.

2 학년 4 반 시화 작품

할로윈은 즐거워

할로윈은 즐거워 강다인

유령분장하고서
사탕 바구니 들고
사탕을 받고
젤리를 받고
초콜릿을 받고
친구들과 먹고
저번할로윈은슬펐어
사람들이 죽었대
빨리 해결돼서
함께 놀면좋겠다

「알뜰시장」

내...

내가가져온 물건 지우개 없서 연필 깎이랑 칫솔
왜 안팔리지?

열심히 팔아봐서 칫솔 만 남 았다!
칫솔!

왜 안 팔리지?!

쨍쨍

수원VS대전 축구 경기

김사랑

우리 가족 모두다
축구 경기장에 갔다.
와~

수원을 응원한 우리
1골 넣으면
소리치는 우리
와아~

한골더 넣으면
응원하는 우리
와아아~

한골 먹혔다.

또 먹혔다. 와….

무승부다.(2\2)

수원 순위가 떨어졌다.

응으아앙

속상한 수원 모두
얼굴엔 울상이 번진다
응으아앙

대~전

수우원

초코파이 케이크

김소희

맛있는 케이크
맛있는 케이크
초코파이 케이크
맛있는 초코파이

케이크을 사러
갔는데
케이크가
없에서
초코파이가
있어서 냠냠
먹었당!

슬픈 제주도

김승찬

엄마 아빠와 떠난 제주도
차에 따고 부릉부릉 내 배도
부릉부릉

차는 멈췄는데
내 배는 아직도 부릉부릉
슬픈 제주도...

제주도 바다

김예섭

재밌는 제주도
제주도 바다는 출렁출렁
미역도 출렁출렁

바다에 손을 대보니
엄청 차갑다

하지만 내 마음은
엄청 따뜻하다

<엄마와 아빠와>

김예하

오늘은 토요일
내일은 일요일
오늘은 나의 날
내일은 동생날

오늘 나는 엄마와
내일 동생은 아빠와
나는 오늘 공원으로
동생은 내일 놀이터로

엄마와 하는
아빠와 하는
제미있는
놀이터 공원

국기원

김찬희

오늘 은 국기 원 가는날

도복 어딨어?
띠 어 딨어?
늦 었어!
안 돼!

엄마보고 깨워달 라고 했는데
안돼!

아침 안 먹고 가야지
헥헥 지친 다

그순간 엄마를 만 났다.
엄마!!!!
띠어딨어? 왜 안 깨 웠어!

단풍구경

김하랑

단풍구경을 하러 갔는데
걸었더니 바사삭 단풍소리
또 걸었더니 사삭사 단풍소리
단풍은 왜 이렇게 소리가 많이 날까?

단풍구경을 하러 갔는데
걸었더니 으스스 단풍소리
또 걸었더니 나말고 누가
있는 걸까?

"으스스 하고 무서워"

〈알뜰 시장〉

박가영

알뜰 시장 할 때
내 물건이 다 팔릴까?
안 팔릴까? 가슴이
조마조마해

알뜰 시장 할 때
내 물건이 다 팔리니!
가슴이 뻥 뚫려

게임

박서진

오늘은 게임을 했다.
생일에 산게 임기
좋은 게임기

게임을 하자 또지고 또지고
여기있는장애물
어떻게 하는거냐

안 돼

박제연

엄마! 과자 먹어도 돼?

아빠! 우리 게임하자

안돼

엄마! 우리 놀자

안돼

아빠! 우리 라면 먹자

안돼

엄마도

안돼

아빠도

안돼

언제 된다 할까?

아빠는 맨날 안 됐다 할까!

안 돼

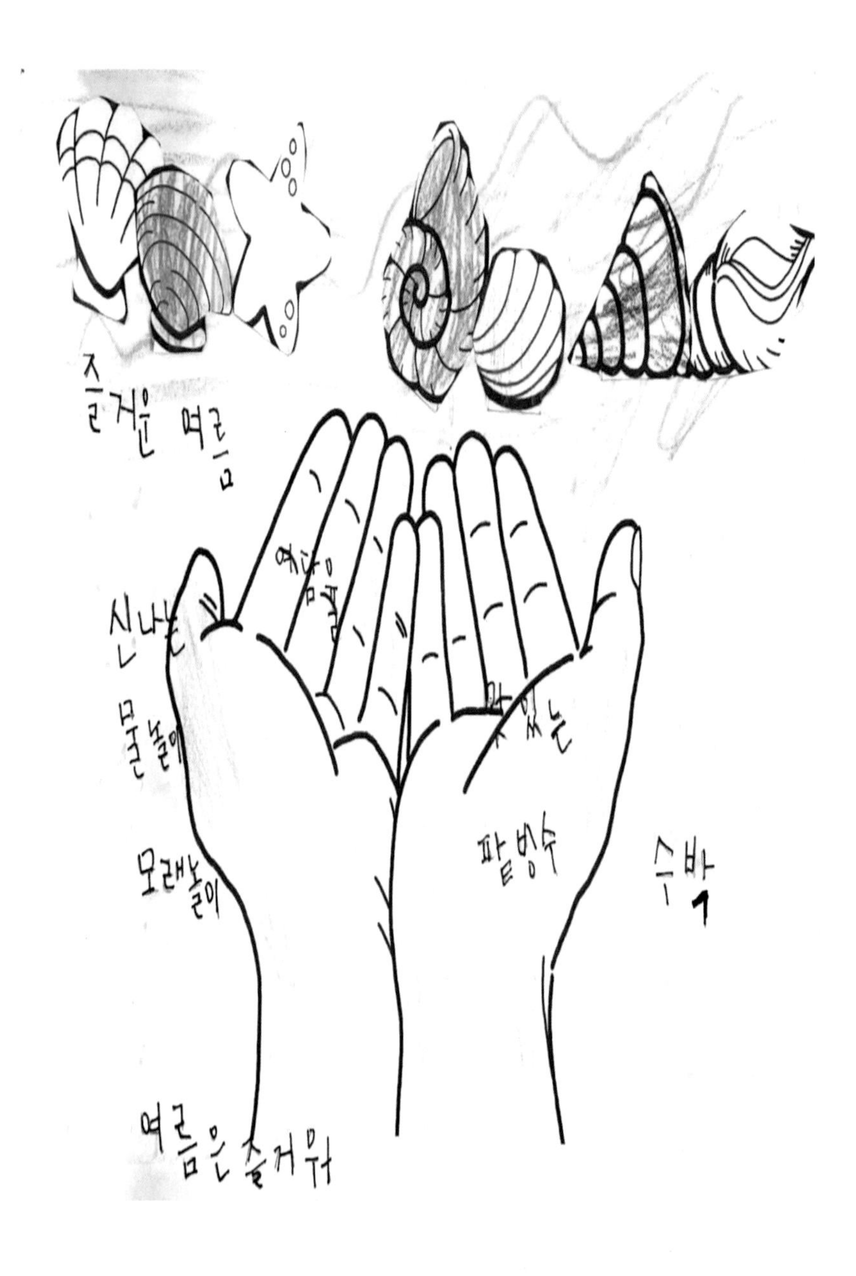

즐거운 여름
신나는
물놀이
모래놀이
맛있는
팥빙수
수박
여름은 즐거워

낙엽

유민

후두두두 후두두 타닥타닥
낙엽이 후두두 타닥타
친구들과 낙엽줍기

낙엽을 줍다보니 두둑두둑
낙엽에 물방울들이 방울방울

후두두두 두둑두둑
열심히 줍다보니
바구니에 낙엽과 물이 한가득

<마술사 문어>

「유승호」

다리가 8개인
대머리 문어
8개의 지팡이로
마술공연을 하는
마술사 문어

분홍색 옷을 입은
멋진 마법사 문어
위험한 순간에
산호색 갑옷을 입는
용감한 마술사 문어

형이 삐졌다
유시율
왜?
사탕을 입에 물고
주머니에 손을 넣고
시험지를 내팽겨쳐도
형이더 혼나날것같아
조심이집으로갔다.
왜형?
나
하......
흥

바둑대회가는날
이서준
기다리고
기다렸던 바둑대회
내실력을
뽐내야겠다
콩다콩당
가슴이먼저 뛴다
금상일까?
은상일까?
동상일까?
아쉽다
은상을받았네
다음에는
노력해서
금상받아야지
은상바둑

엄마아빠 자랑

이수현

엄마는 엄마는
나를 예뻐하고

아빠는 아빠는
용돈을 주시고

동생은 동생은
....

우리 가족
모두를 사랑한다

이빨날

이윤유 ♥

송곳니가 흔들흔들
빼기싫어 두근두근
실로 빼기 싫어싫어
눈물이 뚝뚝뚝

빼고나니 속이시원
어깨가 으쓱으쓱

괜찮아? 안괜찮아!

이윤원

형아가 나를 밀었다. 나는 넘어졌다.

나 괜찮아? 안괜찮아!

친구랑 친구가 싸웠다.

나는 괜찮아? 친구는 안괜찮아!

거실

나

형아

꽈당

교실

싸울래!

친구

안괜찮아!

친구

싸우자

안괜찮

나

〈생일 파티〉

이준우

어느새 7월 14일
동생의 생일
파티 너무너무 좋았다

엄마가 준 생일 케익
너무너무 좋았다 생일
케익을 먹었다

부들부들 부드럽고
달콤달콤 맛있었다
드디어 생일선물
개봉!

선물을 열어보니
장난감이 나왔다
동생이 너무너무
좋아했다.

엄마! 내 생일은
말랑이 만들기
사주세요.

선물

패션쇼
차서연
사뿐사뿐 사뿐
걸어오는 소리
누구일까? 보면
영어학원 친구들
사뿐사뿐 사뿐
나도 나갈까?
너무 부끄러워

알뜰시장
알뜰시장
돗자리깔고
물건펼쳐놓고
자
시작!
팔리면 방긋방긋
못팔면우물주물
다팔면
행복해!
또 하고 싶다.

심심할 땐 가위바위보

최하승

심심하다 심심할땐 역시
가위바위보 안 내면 진다.
가위바위보 !

베트남

지은이 하주원

친척들과 전철을 두세번 타고
비행기를 타고
이제 베트남으로 갔다.

숙소로 도착하고
밥을 먹고
수영을 하고
아이스크림을 먹고
그다음에 집으로 갔다.

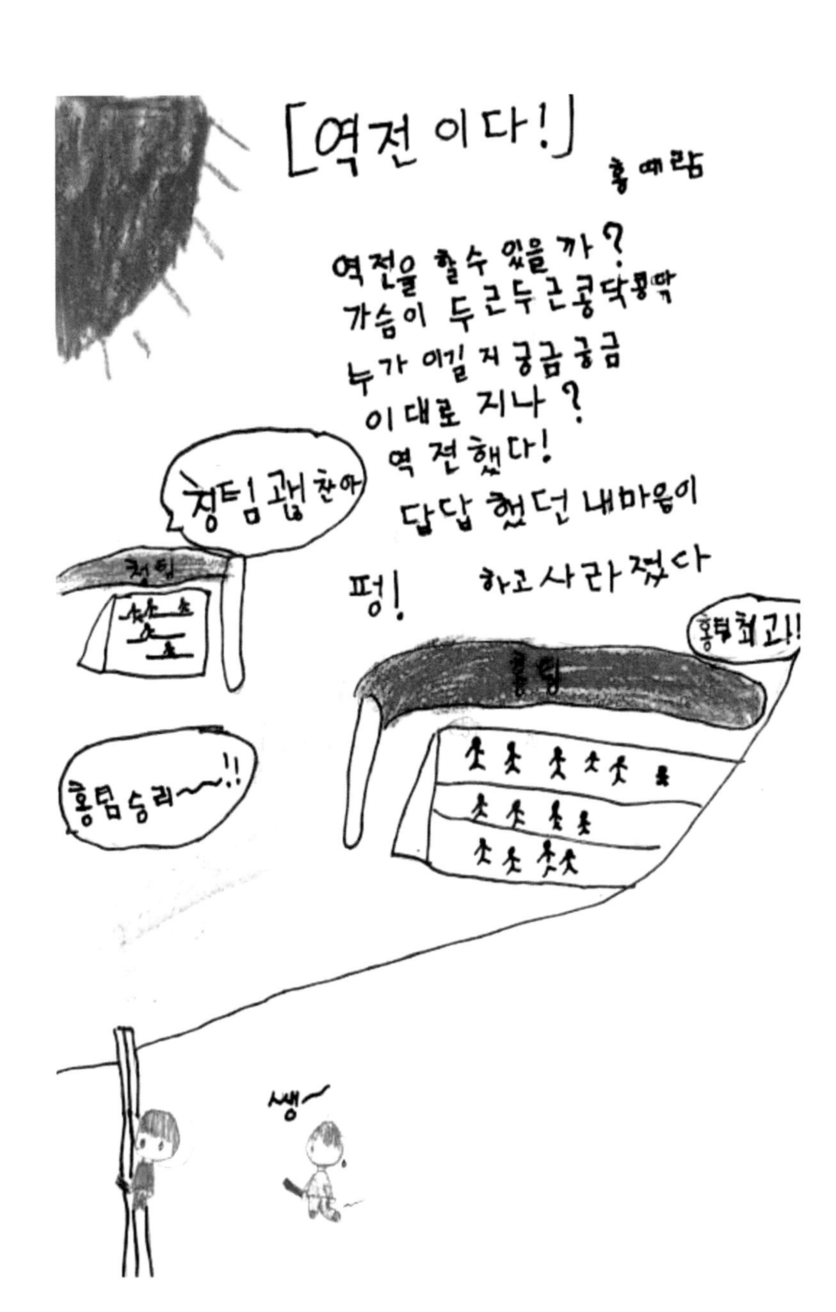

[역전이다!]
홍예람
역전을 할수 있을까?
가슴이 두근두근 콩닥콩닥
누가 이길지 궁금궁금
이대로 지나?
역전했다!
답답했던 내마음이
펑! 하고 사라졌다
청팀괜찮아
청팀
홍팀최고!
홍팀
홍팀승리~~!!
쌩~

에버랜드 가는 날

홍여레

에버랜드 가는 날
놀이기구 타는 날
가슴이 콩닥콩닥

머리띠 사는 날
인형도 사는 데

맘에 드는게 없고
어쩌면 좋지? 하는데!

맘에 드는게 딱 하나
아주 귀여운 인형

너는 내 방으로 가야겠다.

우리들이 함께한
반짝반짝 빛나는
순간을 기억하며
멋지게 성장하는
어린이로 자라나길♥